Highlights™ PUZZLEBUZZ™ ANIMALS

똑똑해지는 퍼즐

4. 동물

Aramy

깊은 바다 속에서 길을 찾아요.

다이버가 보물을 찾아요. 출발에서 도착까지 길을 찾아보세요.

Help this diver find the treasure. Find a path from START to FINISH.

ILLUSTRATION BY RON ZALME

정답 36쪽

Hidden Pictures™

새들과 함께 있는 12가지 숨은그림을 찾아요.
Can you find these 12 items hidden with the birds?

어떤 새가 나타날까요?
1 번부터 48 번까지 연결하여
그림을 완성해 보세요.

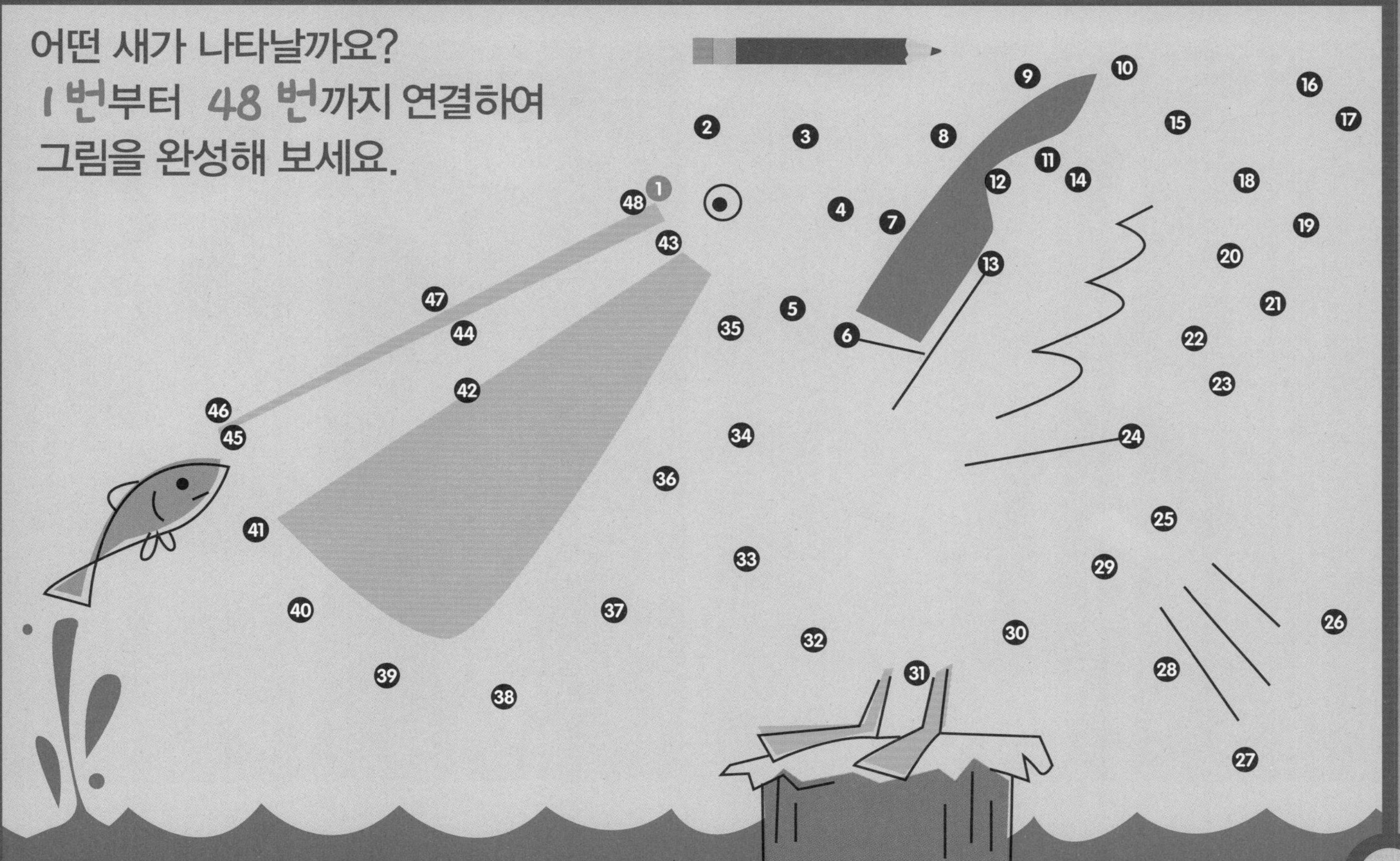

정답 36쪽

무슨 그림인지 알아맞혀 보세요.

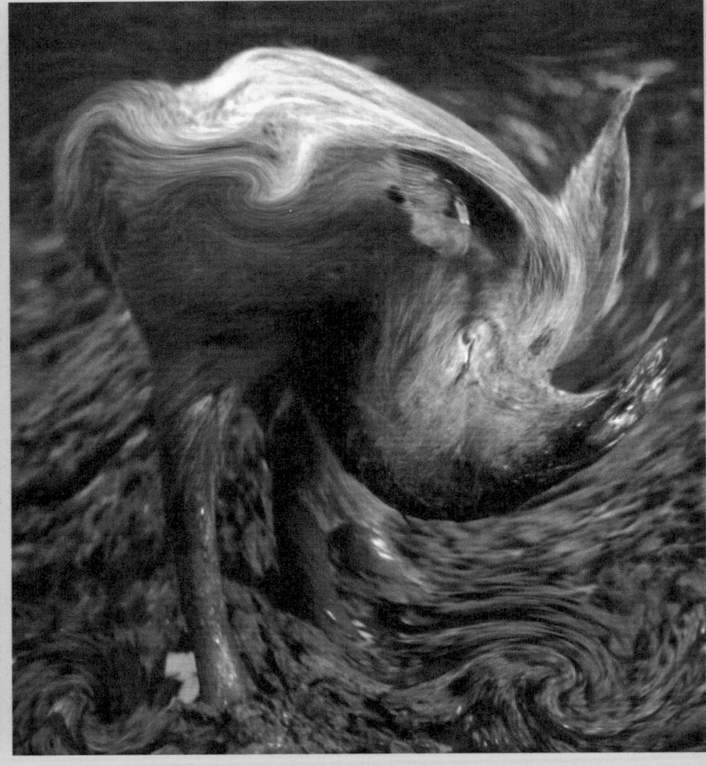

P로 시작하는 이름을 가진 동물들 모습이 뒤틀려 있어요.

These animals whose names begin with P have been twisted and turned.

정답 36쪽

Hidden Pictures™

바다 밑을 조사하고 있어요. 숨은그림을 찾아 스티커를 붙이세요. The divers are searching the ocean floor. Find all the hidden objects. Place a sticker on each one you find.

ILLUSTRATION BY R. MICHAEL PALAN

정답 37쪽

개구리 암호를 풀어 봐요.

각 개구리에 해당되는 알파벳을 이용해 문장을 완성해 보세요.
Use the frog code to fill in the letters and finish the jokes.

개구리가 가장 좋아하는 음료는 무엇일까요? What is a frog's favorite drink?

버스 기사는 개구리에게 뭐라고 말했을까요? What did the bus driver say to the frog?

“ .”

개구리들은 어디에 메모를 할까요? Where do frogs make notes?

개구리들은 발에 무엇을 신을까요? What do frogs wear on their feet?

정답 37쪽

알파벳 판에서 동물 이름을 찾아요.

알파벳 판에 숨어 있는 17가지 동물 이름이에요.
어떤 단어는 가로로, 어떤 단어는 세로로 놓여 있어요.
The names of 17 zoo animals are hidden in the letters.
Some names are across. Others are up and down.

단어

- BAT 박쥐
- CAMEL 낙타
- CHIMPANZEE 침팬지
- ~~ELEPHANT~~ 코끼리
- GECKO 도마뱀붙이
- GIRAFFE 기린
- GORILLA 고릴라
- JAGUAR 재규어
- KOALA 코알라
- LEOPARD 표범
- LION 사자
- MEERKAT 미어캣
- MONKEY 원숭이
- SLOTH 나무늘보
- TIGER 호랑이
- WOLF 늑대
- ZEBRA 얼룩말

C	A	M	E	L	S	L	O	T	H
H	A	N	G	I	R	A	F	F	E
I	G	O	R	I	L	L	A	D	R
M	E	E	R	K	A	T	E	L	W
P	C	G	U	M	O	N	K	E	Y
A	K	O	A	L	A	L	I	O	N
N	O	T	I	G	E	R	T	P	W
Z	E	B	R	A	E	L	B	A	O
E	L	E	J	A	G	U	A	R	L
E	L	E	P	H	A	N	T	D	F

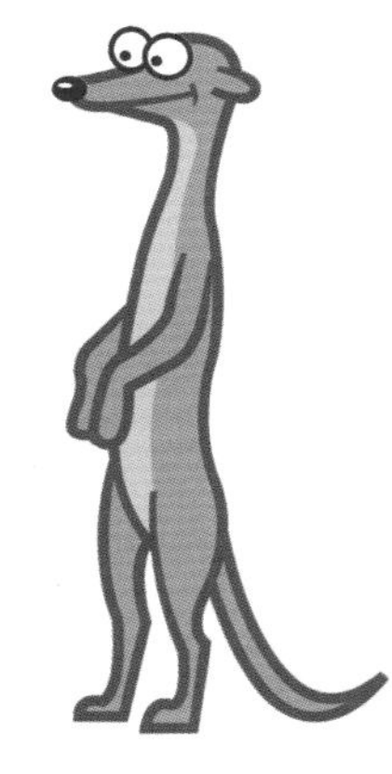

ILLUSTRATION BY JACK DESROCHER

어떤 동물이 살고 있을지 상상하여 그려 보세요.
Draw a picture of an animal that might live here.

정답 37쪽

아기 기린이 엄마 기린에게 가야 해요.

아기 기린이 헤매고 있어요. 엄마 기린에게 가는 길을 찾아 주세요. This baby giraffe wandered off a little too far. Can you help it find a clear path back to its mama?

ILLUSTRATION BY STEVE SKELTON

정답 37쪽

이상한 그림을 찾아요.

스티커로 그림을 완성하고 이상한 장면 15곳을 찾아보세요.

Use your stickers to finish the picture. Then see if you can find at least 15 silly things.

ILLUSTRATION BY DAVID COULSON

정답 37쪽

똑같은 짝을 찾아봐요.

똑같이 생긴 조개들이 있어요. 10쌍을 찾아보세요.

Every shell in the picture has one that looks just like it. Find all 10 matching pairs.

정답 38쪽

물웅덩이까지 어떻게 갈까요?

코뿔소가 물웅덩이까지 갈 수 있도록 길을 찾아 주세요.

Can you help this rhinoceros get to the water hole?

ILLUSTRATION BY SCOTT BURROUGHS

정답 38쪽

도마뱀을 찾아요.

이 사막에는 도마뱀이 많아요. 13마리의 도마뱀을 찾아봐요.

There are lots of lizards in this desert scene. Can you find all 13?

ILLUSTRATION BY DONNA CATANESE

정답 38쪽

농장에는 무엇이 있을까요?

스티커로 그림을 완성하고 나서 이상한 장면 15곳을 찾아보세요.

Use your stickers to finish the picture. Then see if you can find at least 15 silly things.

ILLUSTRATION BY DAVID COULSON

정답 39쪽

같은 그림을 찾아요.

잎과 무당벌레가 똑같은 것을 찾아보세요.

Can you find the two ladybug groups that are the same?

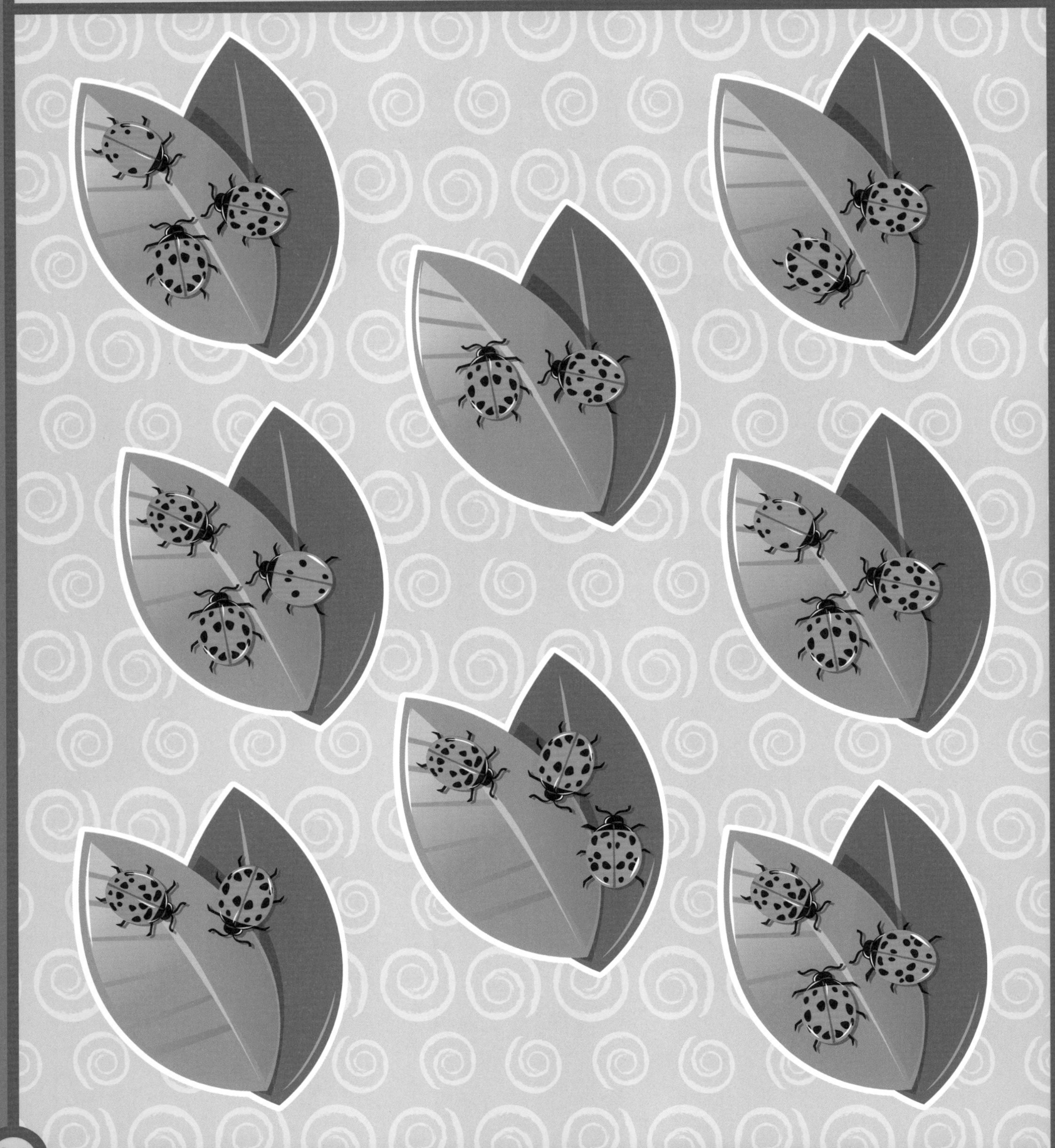

똑같이 생긴 앵무새 두 마리를 찾아보세요.

Can you find the two parrots that are the same?

ILLUSTRATION BY CLAY CANTRELL

정답 39쪽

공룡 암호를 풀어 봐요.

공룡 암호를 사용해 문장을 완성해 보세요.

Use the dinosaur code to fill in the letters and finish the jokes.

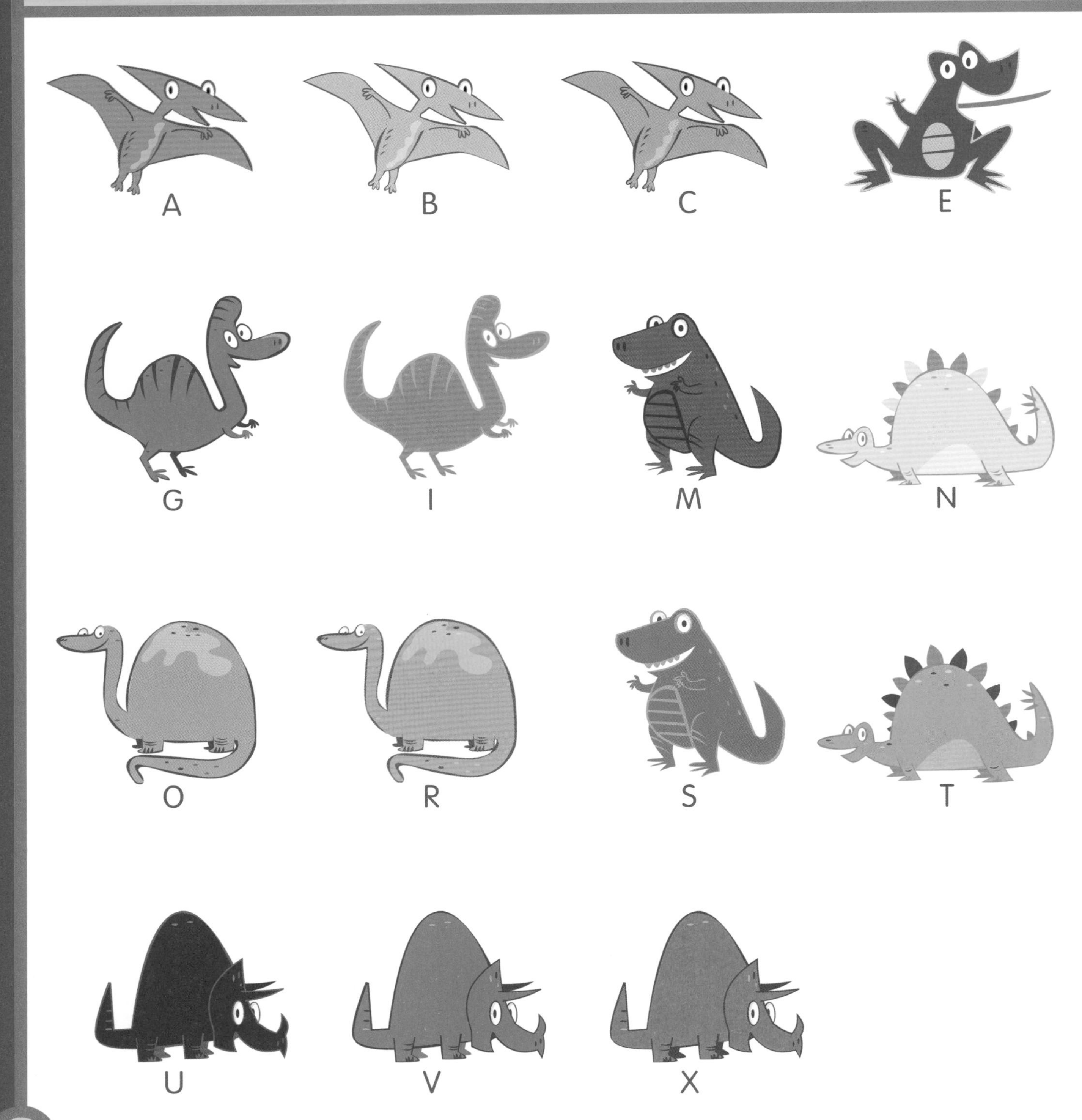

잠자고 있는 공룡을 뭐라고 부를까요? What do you call a sleeping dinosaur?

걱정 있는 공룡을 뭐라고 부를까요? What do you call a worried dinosaur?

트리케라톱스는 무엇 위에 앉을까요? What does a triceratops sit on?

정답 39쪽

Hidden Pictures™

동물원에서 숨어 있는 12가지 물건을 찾을 수 있나요?

Can you find these 12 items hidden at the zoo?

늪에 사는 동물이에요.
1 번부터 32 번까지 연결하여
그림을 완성해 보세요.

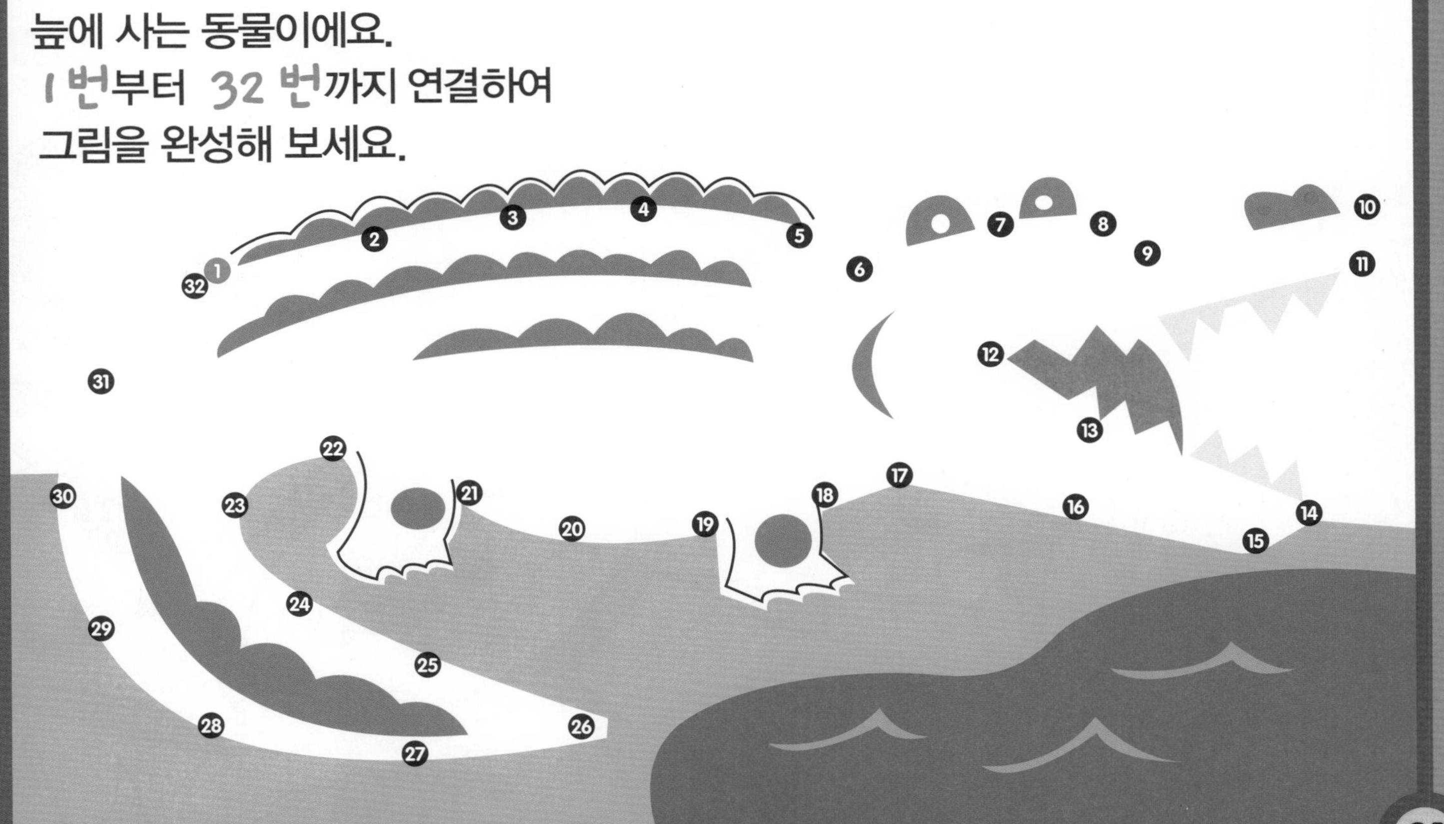

정답 39쪽

펭귄은 어떤 길로 가야 할까요?

펭귄이 물까지 갈 수 있도록 길을 찾아 주세요.

Can you help this penguin find a clear path to the water?

ILLUSTRATION BY RON ZALME

정답 39쪽

그림을 배워 볼까요?

점이 있는 부분을 색칠하면 동물이 나타나요.
Color each space that has a dot to see a big animal.

똑같은 숫자가 있는 칸은 똑같은 색깔로 칠해요.
Color by number. Color this dragonfly.

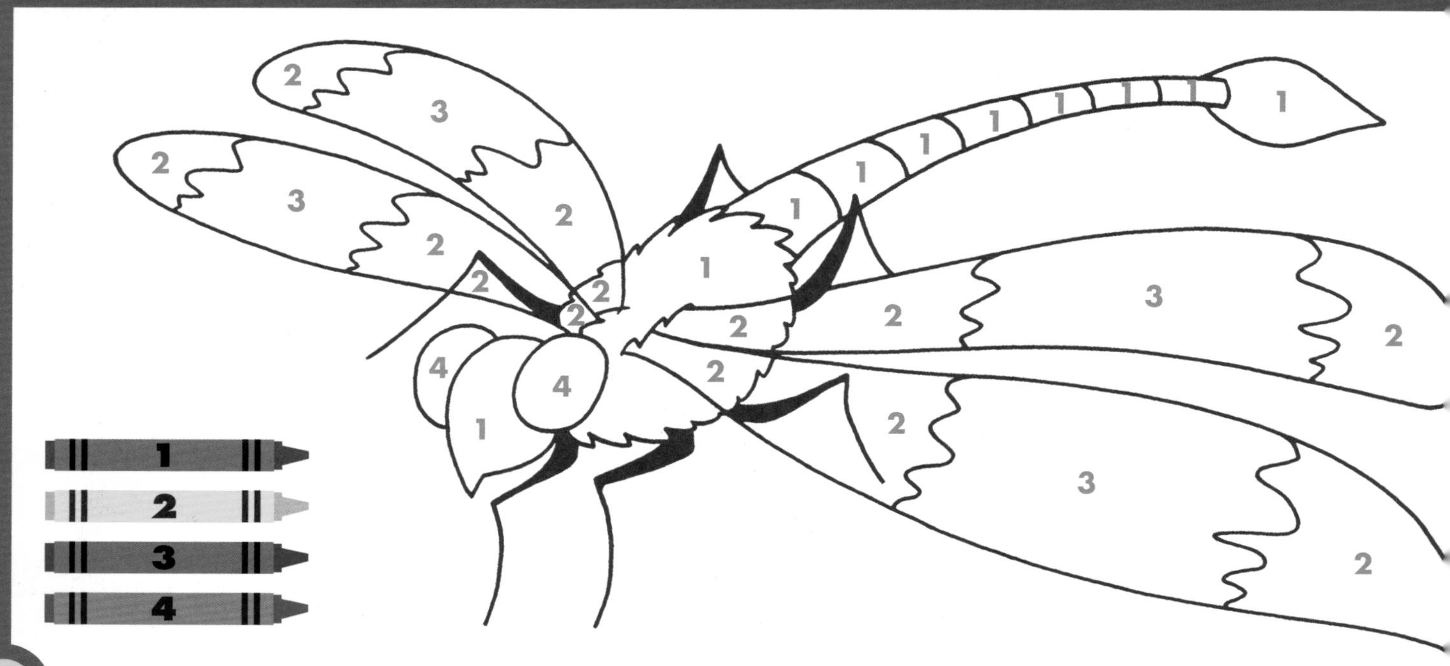

크레용이나 연필로 미술 활동을 해요.
Use your crayons or pencils to finish the art activities.

바다코끼리를 순서대로 따라 그려 보세요.
Follow the steps to draw a walrus.

ILLUSTRATION BY RON ZALME

1.

2.

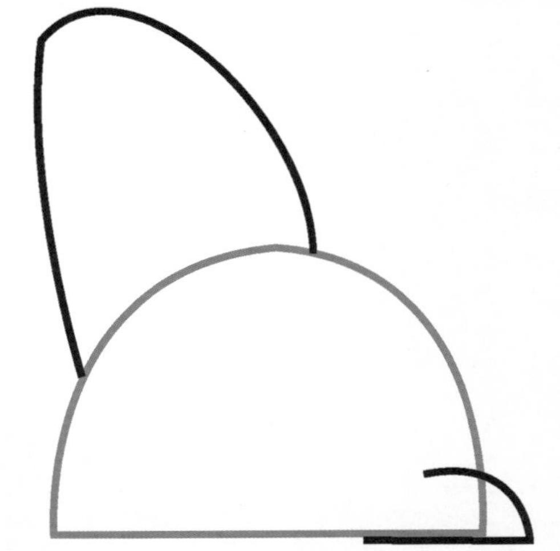

3.

4.

5.

정답 39쪽

정답

2쪽

START
FINISH

4쪽

5쪽

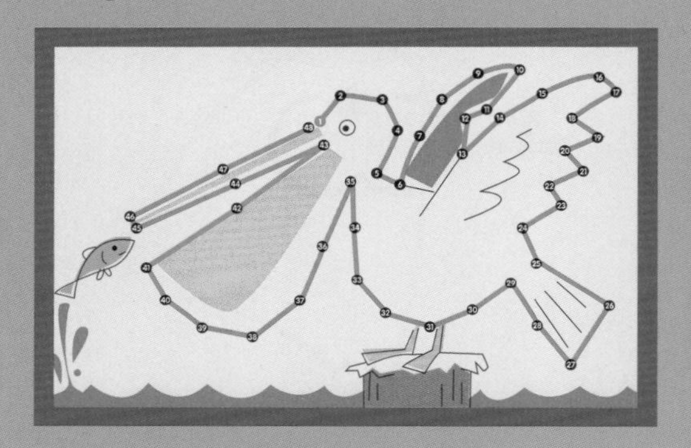

6쪽

판다 panda
펠리컨 pelican
공작 peacock
돼지 pig
펭귄 penguin
호저 porcupine

8쪽

10쪽

Q. 개구리가 가장 좋아하는 음료는 무엇일까요?
A. Croak-a-cola

Q. 버스 기사는 개구리에게 뭐라고 말했을까요?
A. "Hop on."

Q. 개구리들은 어디에 메모를 할까요?
A. On lily pads

Q. 개구리들은 발에 무엇을 신을까요?
A. Open-toad shoes

12쪽

C	A	M	E	L	S	L	O	T	H
H	A	N	G	I	R	A	F	F	E
I	G	O	R	I	L	L	A	D	R
M	E	E	R	K	A	T	E	L	W
P	C	G	U	M	O	N	K	E	Y
A	K	O	A	L	A	L	I	O	N
N	O	T	I	G	E	R	T	P	W
Z	E	B	R	A	E	L	B	A	O
E	L	E	J	A	G	U	A	R	L
E	L	E	P	H	A	N	T	D	F

14쪽

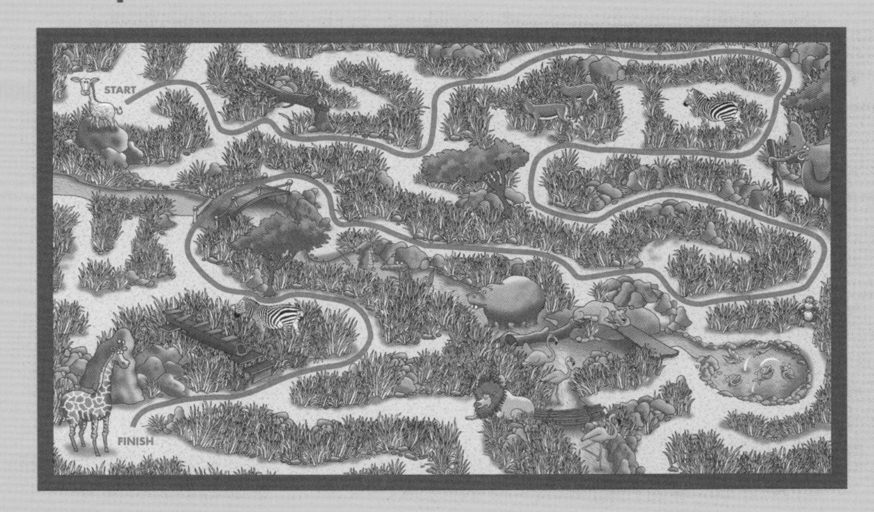

16쪽

다른 이상한 장면을 더 찾아보세요.

18쪽

20쪽

22쪽

24쪽

다른 이상한 장면을 더 찾아보세요.

26쪽

27쪽

28쪽

Q. 잠자고 있는 공룡을 뭐라고 부를까요?
A. A stego-snore-us

Q. 걱정이 있는 공룡을 뭐라고 부를까요?
A. Nervous rex

Q. 트리케라톱스는 무엇 위에 앉을까요?
A. Its tricera-bottom

30쪽

31쪽

32쪽

34쪽

코끼리에요!

어떤 장면일까요?

어떤 장면이라고 생각하나요? 말풍선을 완성해 보세요.

What do you think is happening in this cartoon? Add some words to finish it.